PATRICK SOBRAL

LES Légendaires

3. FRÈRES ENNEMIS

Je dédie cet album à ma mère, qui nous a quittés.
Son amour et sa générosité, qui ont fait de moi
la personne que je suis, continueront de m'inspirer,
je l'espère, pour le reste de ma vie.

Retrouve tes héros sur leur site officiel :
www.leslegendaires-lesite.com

DANAËL

DANAËL EST LE LEADER DES LÉGENDAIRES. D'UNE GRANDE NOBLESSE D'ESPRIT, CE CHEVALIER DU ROYAUME DE LARBOS S'EST FIXÉ POUR BUT DANS LA VIE DE COMBATTRE L'INJUSTICE PARTOUT DANS LE MONDE D'ALYSIA. CHOSE QU'IL A TOUJOURS RÉUSSIE JUSQU'À PRÉSENT GRÂCE À SES COMPAGNONS ET À SON ÉPÉE D'OR FORGÉE DANS LE MONDE ELFIQUE.

GRYF

GRYF EST LE MEILLEUR AMI DE DANAËL ET LE PLUS COURAGEUX DES LÉGENDAIRES. MAIS SON COURAGE S'ACCOMPAGNE D'UN CARACTÈRE IMPULSIF QUI LUI ATTIRE SOUVENT DES ENNUIS. SES GRIFFES D'HOMME-BÊTE SONT DES ARMES D'UNE GRANDE EFFICACITÉ QUI PEUVENT ENTAILLER LA ROCHE.

JADINA

JADINA EST PRINCESSE ET MAGICIENNE. SES PARENTS, ROI ET REINE, N'ONT JAMAIS VU D'UN BON ŒIL SES AVENTURES AUPRÈS DES LÉGENDAIRES. ELLE SERA D'AILLEURS BANNIE DE SON ROYAUME APRÈS "L'ACCIDENT JOVÉNIA" ET PERDRA SON TITRE DE PRINCESSE. JADINA EST UNE ENFANT GÂTÉE PARFOIS INSUPPORTABLE, MAIS D'UNE GRANDE INTELLIGENCE ET D'UN GRAND CŒUR.

RAZZIA

RAZZIA EST LE PLUS FORT DES LÉGENDAIRES. AUTREFOIS DOTÉ D'UN PHYSIQUE D'ATHLÈTE, L'"ACCIDENT JOVÉNIA" A REFAIT DE LUI L'ENFANT GRASSOUILLET QU'IL ÉTAIT DANS SA JEUNESSE. MAIS SA JOVIALITÉ LUI PERMET DE SURMONTER SES COMPLEXES ET IL RÉPOND TOUJOURS PRÉSENT LORSQUE SES AMIS ONT BESOIN DE LUI.

SHIMY

SHIMY EST UNE ELFE ÉLÉMENTAIRE, C'EST-À-DIRE QU'ELLE PEUT FUSIONNER AVEC LE FEU, L'EAU ET LA TERRE D'OÙ ELLE TIRE SES POUVOIRS. ELLE VIT LA PLUPART DU TEMPS DANS LE MONDE ELFIQUE, SANS CONTACT AVEC LE MONDE DES HUMAINS. SES SEULS AMIS SONT LES LÉGENDAIRES DONT ELLE FAIT PARTIE. SHIMY MONTRE TRÈS PEU SES SENTIMENTS ET PEUT SEMBLER FROIDE ET ANTIPATHIQUE.

© 2005 Guy Delcourt Productions

Tous droits réservés pour tous pays
Dépôt légal : mai 2005. I.S.B.N. : 978-2-84789-761-6

Conception graphique : Trait pour Trait

Imprimé et relié en janvier 2013
sur les presses de l'imprimerie Pollina, à Luçon, L23668B

www.editions-delcourt.fr

C'EST PAS AVEC CE QUE J'AI PÊCHÉ QUE JE ME FERAI UNE BONNE FRITURE.

BON, J'DIS PAS FORCÉMENT UNE TRUITE, MAIS QUAND MÊME...

HA ! HA ! J'LE SAVAIS ! C'EST MON JOUR DE CHANCE !

VOYONS UN PEU ...

BLOP !

... CE QUE J'AI ATTRAPÉ ?!

BAH ! UN ANNEAU TOUT POURRI ! J'SUIS SÛR QU'IL A AUCUNE VALEUR !!

HOP !

J'FERAIS MIEUX DE RENTRER ; LE DÉJEUNER ME TOMBERA PAS...

①

... DU CIEL.

UN... UN ELFE ! MINCE, IL A L'AIR MAL EN POINT !

HAAA...

BOUGEZ PAS, M'SIEUR ! J'VAIS CHERCHER DU SECOURS ! JE...

PAS... LE TEMPS ! PRÉVENIR... LARBOSA. MON PEUPLE... EN PÉRIL. SORCIER ... HELL.

HEIN ? QUOI ? QUI ?

MA CLÉ ! SAUVEZ... NOUS.

HEU... M'SIEUR ? M'SIEUR L'ELFE ? M'SIEUR !

ZUT ! J'VOULAIS JUSTE PÊCHER, MOI !

OROBAN, CAPITALE DU ROYAUME DE *LARBOS*.

C'EST JOLI, HEIN ?

4

ALORS ? ELLES VIENNENT, NOS BOISSONS ?

CHUUT ! DISCRÉTION, SHIMY ! NOUS N'AVONS PAS UNE EXCELLENTE COTE DE POPULARITÉ, ICI. ÉVITONS DE NOUS FAIRE REMARQUER.

M'EN FICHE ! J'AI SOIF !

ATTENTION, QUELQU'UN VIENT !

OÙ SONT SHAKI ET MICHI-GAN ? ILS M'AVAIENT DIT DE LES RETROUVER ICI. EH BEN, QUEL...

AÏE !

HÉ ! VOUS POURRIEZ PAS FAIRE ATTENTION, ESPÈCE DE BRUTE ?

NON MAIS, REGARDEZ-MOI CETTE DEMI-PORTION ! ÇA NE TIENT PAS DEBOUT ET ÇA VEUT ME DONNER UNE LEÇON ? HA ! HA ! RECK, DIS-LUI CE QU'IL EN COÛTE DE TENIR TÊTE AUX DEUX PLUS TERRIBLES ASSASSINS DE LARBOS.

LE TARIF PLEIN : UNE PETITE ÉVENTRATION SUIVIE D'UNE DÉCAPITATION ! DU TRAVAIL DE PRO, CROIS-MOI, PETITE !

HEU... DANAËL ? ON NE DEVRAIT PAS INTERVENIR, LÀ ?

ZUT ! JE CROIS BIEN QUE SI !...

ALLEZ, LES GARS ! À TROIS !... UN... DEUX...

BEN... ET NOS BOISSONS ?

TROÏS !!!

5

ON PREND LES CHOSES EN MAIN !

ÇA VA, TOOPIE ?

OUAIS, OUAIS !

SI ON ALLAIT Y FAIRE UN TOUR ?

QUELLE BONNE IDÉE !

ZINK

CRAC

TRÈS ENSOLEILLÉ, IL PARAÎT !

C'EST COMMENT, RYMAR, EN CE MOMENT ?

Les 3 ...rines

LES "FABULEUX" ? C'EST QUOI, CE NOM DE NAZE ?

ZAMAIS ENTENDU PARLER !

LE MOINS QUE L'ON PUISSE DIRE, C'EST QU'ILS ONT LA COTE, EUX !

NON MAIS C'EST QUOI, CETTE HISTOIRE ?

HEM !... HEU, MERCI POUR LE COUP DE MAIN, MAIS MAINTENANT, ON PEUT ASSURER AVEC LA FOULE.

LE COUP DE MAIN ?

ASSURER ?

FÉLICITATIONS !

BRAVO !

J'Y CROIS PAS, C'EST EUX ?

MAIS SI, J'TE DIS !

LES FABULEUX ? INCROYABLE !

ON PEUT SAVOIR DE QUELLE MANIÈRE VOUS AVEZ "ASSURÉ" CES DERNIÈRES ANNÉES ? OÙ ÉTIEZ-VOUS QUAND LE MONDE D'ALYSIA AVAIT BESOIN DE VOUS ? ALLEZ, RENTREZ CHEZ VOUS PLANTER DES TOMATES ET LAISSEZ LES VRAIS HÉROS FAIRE LEUR TRAVAIL.

5

QUOI ? TU PEUX RÉPÉTER, LA NAINE ?

QU'EST-CE QU'Y A ? ELLE ENTEND PAS BIEN, LA MÉMÉ ?

BEN, ET NOUS ? ON N'A PERSONNE À DÉFIER DU REGARD ?

SI TU VEUX MON AVIS, ON A D'AUTRES PROBLÈMES BIEN PLUS SÉRIEUX !

PAR ORDRE DE LARBOSA, ROI DE LARBOS : CESSEZ LES HOSTILITÉS !!

LES HÉROS DU PEUPLE "LES FABULEUX" SE TROUVENT-ILS PARMI VOUS ?

C'EST NOUS !

BIEN ! PAR LE PRÉSENT PARCHEMIN, JE VOUS DEMANDE DE ME SUIVRE JUSQU'AU CHÂTEAU OÙ NOTRE BON ROI VOUS ATTEND POUR QUÉRIR VOTRE AIDE DE TOUTE URGENCE.

RRRRRR

DÉSOLÉE, MAIS LE ROI A BESOIN DE "HÉROS" ! TCHAO !

ET VOUS ? VOUS ÊTES QUI ?

BOF ! NOUS, ON EST JUSTE LES LÉGENDAIRES !

ALORS VEUILLEZ NOUS SUIVRE ; LE PARCHEMIN VOUS MENTIONNE ÉGALEMENT !

6

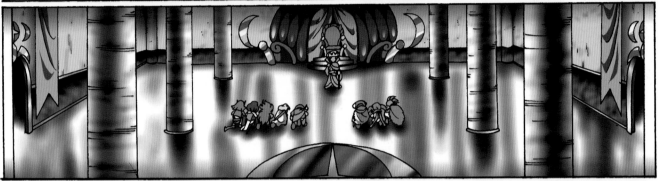

...

DANAËL ! ON VA ATTENDRE LONGTEMPS COMME ZA ? Z'COMMENZE À AVOIR DES CRAMPES !

CHUT !

HUM ! HUM !

LEVEZ-VOUS, HÉROS D'ALYSIA ! ET ÉCOUTEZ-MOI, CAR L'HEURE EST GRAVE !
...

EXCUSEZ MA QUESTION, VOTRE ALTESSE ! MAIS SI L'HEURE EST SI GRAVE, COMMENT SE FAIT-IL QUE LES LÉGENDAIRES SOIENT PRÉSENTS DANS CETTE SALLE ? LES FABULEUX SONT LES HÉROS OFFICIELS D'ALYSIA, NON ?

NON MAIS REGARDEZ-LES ! INCAPABLES DE GARDER LEUR SANG-FROID ! ON NE VEUT PAS D'UN NOUVEL ACCIDENT JOVÉNIA !!

QUOI ?

...

ILS ONT CERTES PERDU DE LEUR PRESTIGE, MAIS IL Y A QUELQUES MOIS, LES LÉGENDAIRES ONT RÉUSSI L'EXPLOIT DE DÉLIVRER ET RAMENER LES FAUCONS D'ARGENT DU PAYS DE KLAFOOTY ! EST-CE QUE CELA RÉPOND À VOTRE CURIOSITÉ, FABULEUX MICHI-GAN ?

OUI ! VEUILLEZ PARDONNER MON IMPERTINENCE !

7

COMME JE LE DISAIS IL Y A UN INSTANT, L'HEURE EST GRAVE ! IL Y A QUATRE JOURS, UN ELFE EST ARRIVÉ À ALYSIA POUR QUÉRIR L'AIDE DE LARBOS. IL SEMBLERAIT QUE LE MONDE ELFIQUE SOIT RAVAGÉ PAR UNE ÉTRANGE ET MORTELLE MALADIE.

CE MESSAGER N'A PAS SURVÉCU, ET SON DÉLIRE NE NOUS A PAS PERMIS D'AVOIR PLUS D'INFORMATIONS. UNE SEULE CERTITUDE : CE "MAL" EST D'ORIGINE MAGIQUE ET NE FRAPPE QUE LES PEUPLES DU MONDE ELFIQUE. C'EST DU MOINS CE QU'EN ONT CONCLU MES MEILLEURS MAGES.

C'EST P'T-ÊTRE LA GRIPPE ! IL PARAÎT QUE C'EST UNE VACHERIE, CETTE ANNÉE !

GRYF !

ATTENDEZ ! VOUS INSINUEZ QUE CETTE MALADIE N'EST PAS LE FRUIT DU HASARD ? QUE QUELQU'UN TENTE DE DÉCIMER MON PEUPLE ?

C'EST CE QUE VOUS ALLEZ DEVOIR DÉCOUVRIR !

VOICI LA CLÉ ELFIQUE QUE POSSÉDAIT L'ELFE QUI EST VENU À ALYSIA. PRENEZ ÉGALEMENT CE PARCHEMIN QUE VOUS REMETTREZ DE MA PART AU ROI KASH-KASH... S'IL EST EN VIE.

LÉGENDAIRES ! FABULEUX ! VOUS AVEZ POUR MISSION DE PORTER ASSISTANCE AU PEUPLE ELFIQUE EN DÉCOUVRANT ET EN ANÉANTISSANT L'ORIGINE DU MALÉFICE QUI FRAPPE SON MONDE !!

⑧

MOI, Z'QUE Z'AIMERAIS BIEN ZAVOIR, Z'EST POURQUOI ON DOIT TRIMBALER ZETTE CAIZZE QUI PÈSE UNE TONNE !

À L'INTÉRIEUR SE TROUVE LE FRUIT DE MON INTELLIGENCE ET MA PLUS GRANDE FIERTÉ !

C'EST VRAI ! ON A ASSEZ DE VIVRES POUR DES SEMAINES ET CE TRUC NOUS RALENTIT, QUOI !

ET PUIS JE NE CROIS PAS QUE CE SOIT CE QUI ALOURDIT LE PLUS CE BATEAU. SUIVEZ MON REGARD !

C'EST BIEN RAZZIA, TON NOM ?

EH BIEN ! JE SENS QUE CETTE MISSION EN COOPÉRATION NE SERA PAS DE TOUT REPOS ; HEIN, SHIMY ?

ON PEUT ZAVOIR ZE QUE TU INZINUES ?

OH RIEN ! POURQUOI ?

...

SHIMY ?

SHIMY ! QUE SE PASSE-T-IL ?

MON PEUPLE MEURT, DANAËL !

DEPUIS MA PETITE ENFANCE, J'AI SUIVI LA FORMATION D'ELFE ÉLÉMENTAIRE, GARDIENNE DE LA PAIX DU MONDE ELFIQUE. MAIS APRÈS ÇA, J'AI CHOISI DE VIVRE DANS LE MONDE DES HUMAINS. ET MAINTENANT... ET MAINTENANT...

SHIMY ! CE QUI SE PASSE LÀ-BAS N'EST PAS DE TA FAUTE !

JE SAIS ! MAIS JE DEVRAIS ÊTRE EN TRAIN DE PROTÉGER LES MIENS EN CE MOMENT !

JE SAIS PARFAITEMENT CE QUE TU ÉPROUVES !

MON PEUPLE A ÉTÉ EXTERMINÉ PAR UN SORCIER MALÉFIQUE. JE M'EN SUIS LONGTEMPS VOULU D'AVOIR ÉCHAPPÉ AU MASSACRE. MAIS J'AI COMPRIS DEPUIS, QUE SI J'AI SURVÉCU, C'EST QUE LE DESTIN AVAIT D'AUTRES PROJETS POUR MOI. CHAQUE ÉVÉNEMENT A UNE RAISON D'ÊTRE !

JE SUIS SÛR QU'IL EN EST DE MÊME POUR TOI !

MERCI !

⑩

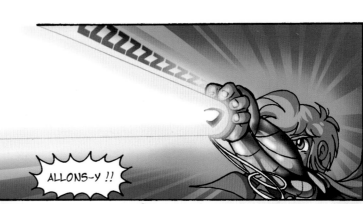

11

13

JADINA ! NOUS ALLONS HEURTER CE NAVIRE !!

JE M'EN OCCUPE !!

PROTECCIO !

ZBAM

OUAAAAH !!

YAAAAA !!

MAIS QU'EST-CE QU'IL SE PASSE ?

ON A ZURZI AU MILIEU D'UNE BATAILLE ENTRE UN NAVIRE ELFE ET...

... ZES DRÔLES DE CRÉATURES ZUR DES POIZZONS VOLANTS !

DU POISON VOLANT ? MOI, JE NE VOIS QUE DES POISSONS !

Z'EST ZE QUE Z'AI DIT !!!

CE SONT DES PIRANHIS, LES ENNEMIS HÉRÉDITAIRES DES ELFES ! IL FAUT LES AFFRONTER !!

ATTENDS, SHIMY ! ON NE SAIT PAS VRAIMENT CE QU'IL SE PASSE ! JE CROYAIS LES ELFES ET LES PIRANHIS EN PAIX, NON ?

12

ON NOUS A ENVOYÉS POUR AIDER LE PEUPLE ELFIQUE, NON ? C'EST CE QUE JE FAIS !

SHIMY !

TAK

SPLASH

ATTAQUE ÉLÉMENTAIRE !!

SSLASH

ET UN DE MOINS !

REGARDEZ, CAPITAINE ! LES PASSAGERS DU BATEAU HUMAIN QUI NOUS A PERCUTÉS VIENNENT À NOTRE AIDE !!

CAPITAINE ?

UNE ATTAQUE ÉLÉMENTAIRE ? ... ÇA NE PEUT PAS ÊTRE...

13

16

MAIS POURQUOI TU L'AIDES, TOI ?

ON EST TOUS DANS LE MÊME BATEAU... SANS MAUVAIS JEU DE MOTS !

Z'EST QUOI, ZE BRUIT ?

J'SAIS PAS ! C'EST PAS TON VENTRE ?

BZZZZZZZZZZZZZ

ET VOICI L'ENTRÉE EN SCÈNE DU FABULEUX DING DONG !!!

HAAA ! QU'EST-ZE QUE Z'EST QUE ZA ?

HAAAAA !

CRAC

LE GORILLE PARLE AVEC LA VOIX DE TOOPIE ! Z'CROIS QU'IL L'A MANZÉE !

...

NON ! JE CROIS PLUTÔT QUE TOOPIE MANIPULE CETTE CHOSE DE BOIS ET DE MÉTAL !

TA-DAAAA !!!

PAM PAM PAM PAM PAM

VOUS ME PRENEZ EN STOP, MADEMOISELLE ?

PAS DE PROBLÈME ! ACCROCHE-TOI, MICHI-GAN ! ET UN, ET DEUX...

15

LES PIRANHIS BATTENT EN RETRAITE !

VICTOIRE !

REGARDEZ-LES S'ENFUIR ! HA ! HA !

ON A GAGNÉ !

CAPITAINE ! IL FAUT REMERCIER LES HUMAINS ! SANS EUX, NOUS NE...

JE SAIS TRÈS BIEN CE QUE J'AI À FAIRE !!

MOI, C'QUE J'EN DISAIS...

ALORS, LÉGENDAIRES ? VOUS VOYEZ QUE VOUS NE FAITES PAS LE POIDS FACE AUX "FABULEUX D'ALYSIA" !

HO ! ZA VA, HEIN !

ET OÙ ELLE EST, LA PETITE TROISIÈME ??

ME VOILÀÀÀÀÀÀÀÀ !!!

HIIIIIII ! MON COEUR !!

17

ÇA Y EST ! JE SUIS AMOUREUX !

BOF ! MOI, LES BLONDES ...

SI VOUS ÊTES AU SERVICE DU ROI KASH-KASH, VEUILLEZ NOUS CONDUIRE JUSQU'À LUI ! NOUS SOMMES ENVOYÉS PAR LE ROI LARBOSA AFIN DE VOUS PORTER ASSISTANCE CONTRE LA MALADIE QUI FRAPPE VOTRE MONDE. NOUS AVONS DE BONNES RAISONS DE CROIRE QU'ELLE A ÉTÉ CONÇUE POUR DÉCIMER VOTRE PEUPLE.

VRAIMENT ? VOUS PENSEZ NOUS APPRENDRE QUELQUE CHOSE ? NOUS SAVONS QUE C'EST LE PEUPLE PIRANHI QUI A LÂCHÉ CETTE PESTE MAGIQUE SUR LES NÔTRES ; MALADIE QUI N'EST PLUS UNE MENACE, DE TOUTE FAÇON.

UN MAGE ?

UN MAGE DU MONDE DES HUMAINS EST VENU NOUS AIDER IL Y A SEPT LUNES. IL NOUS A FOURNI UN REMÈDE AU MALÉFICE PIRANHI.

BIEN SÛR, NOUS SOMMES RAVIS QUE CE MAGE DE NOTRE MONDE VOUS AIT OFFERT SON AIDE AVANT NOUS, MAIS SUR QUOI VOUS BASEZ-VOUS POUR DIRE QUE LES PIRANHIS SONT LES RESPONSABLES DE VOTRE MALHEUR ?

SUR QUOI ?

REGARDEZ À L'HORIZON DERRIÈRE MOI, ET VOUS COMPRENDREZ !

REGARDEZ ! UN ÉNORME NUAGE ROUGE !

ET DIRE QUE ZE NE L'AVAIS MÊME PAS VU !

C'EST DANS SA DIRECTION QUE SE SONT ENFUIS LES PIRANHIS !

JADINA ! QU'EN PENSES-TU ?

CE N'EST PAS UN NUAGE NATUREL ! ÇA ME FAIT PLUTÔT PENSER À UNE SORTE DE CAMOUFLAGE MAGIQUE.

CAPITAINE SHAMIRA, EXPLIQUEZ-NOUS CE QUE C'EST !

19

CE NUAGE EST APPARU AU-DESSUS DU PAYS DES PIRANHIS IL Y A QUINZE LUNES. DÈS LORS, DES ELFES ONT COMMENCÉ À MOURIR DE LA PESTE MAGIQUE DANS LES ÎLES AUX ALENTOURS...

... PUIS DANS LA QUASI-TOTALITÉ DU RESTE DE NOTRE MONDE. ENSUITE, LE MAGE HUMAIN EST ARRIVÉ ET NOUS A OFFERT SON AIDE. EN MOINS DE DEUX LUNES, IL AVAIT FABRIQUÉ UN REMÈDE. LE PEUPLE ELFIQUE LUI DOIT SA SURVIE.

QUELLE TERRIBLE HISTOIRE !

J'AIMERAIS BEAUCOUP RENCONTRER CE MAGE !

WHAOU !

MAIS DITES-MOI ! COMMENT AVEZ-VOUS ÉTÉ MIS AU COURANT QUE NOUS ÉTIONS VICTIMES D'UNE ÉPIDÉMIE ?

JE VOIS ! IL DEVAIT S'AGIR D'UN DES ESPIONS QUE NOUS AVIONS ENVOYÉS CHEZ LES PIRANHIS AVANT L'ARRIVÉE DU MAGE. IL N'A PAS DU BÉNÉFICIER DU REMÈDE.
...
D'AILLEURS, AUCUN D'EUX N'EN EST REVENU ; C'EST AINSI !

L'ELFE À QUI APPARTENAIT CETTE CLÉ EST VENU DANS NOTRE MONDE DEMANDER L'AIDE DU ROI LARBOS. HÉLAS, IL A SUCCOMBÉ À LA PESTE MAGIQUE AVANT D'AVOIR PU NOUS EN APPRENDRE PLUS SUR CE QU'IL SE PASSAIT ICI.

⑳

BIEN ! HÉROS D'ALYSIA, SI TEL EST TOUJOURS VOTRE DÉSIR, JE VOUS ESCORTERAI JUSQU'AU ROI KASH-KASH. MAIS SACHEZ CECI ! DÉSORMAIS, LE PEUPLE ELFIQUE EST ENTRÉ EN GUERRE CONTRE...

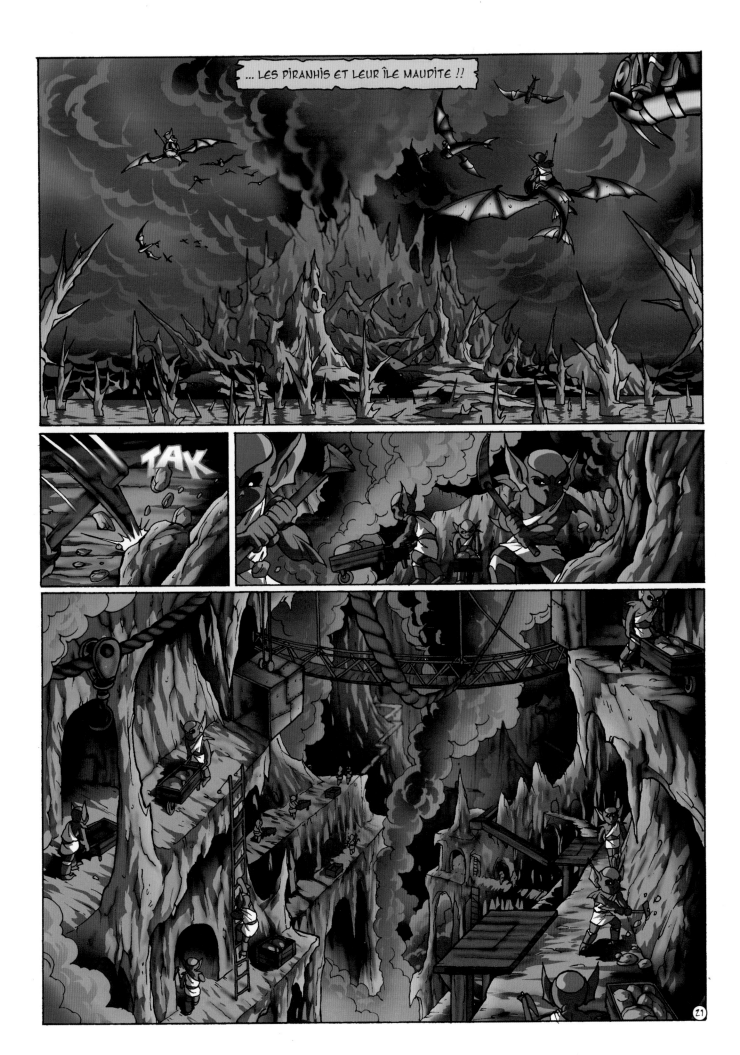

GÉNÉRAL ! NOUS REPOUSSIONS UN NAVIRE ELFIQUE QUI ÉTAIT DANS NOS EAUX TERRITORIALES, QUAND UN BATEAU HUMAIN EST APPARU ET S'EST ALLIÉ À NOS ENNEMIS POUR NOUS METTRE EN FUITE !

DES HUMAINS ?

OUI, GÉNÉRAL ! ILS ÉTAIENT INFÉRIEURS EN NOMBRE, MAIS D'UNE FORCE REDOUTABLE ! NOUS AVONS ÉTÉ VAINCUS EN MOINS DE DEUX MINUTES !

IL SEMBLERAIT QUE KASH-KASH AIT ÉTÉ CHERCHER DE L'AIDE AUPRÈS DE LARBOSA. LES CHOSES SE COMPLIQUENT !

ET SI CE SONT LES HUMAINS AUXQUELS JE PENSE, IL VA FALLOIR ACCÉLÉRER MES PLANS
...
GÉNÉRAL RASGA ! JE VAIS AVOIR BESOIN DE VOTRE MEILLEUR ESPION POUR UNE MISSION SPÉCIALE !!

OÙ VOULEZ-VOUS L'ENVOYER ?

LÀ OÙ SE TROUVE NOTRE PROBLÈME NUMÉRO UN ...

... À KARAKIS, LA CAPITALE DU ROYAUME ELFIQUE !!!

HA ! QUELLE JOIE D'ACCUEILLIR DES HUMAINS DANS MON ROYAUME !

HÉROS D'ALYSIA, SOYEZ LES BIENVENUS À KARAKIS ! VOUS ÊTES ICI CHEZ VOUS ! HA ! HA !

Z'EST UNE BLAGUE ?

C'EST ÇA, LE ROI KASH-KASH ? EH BIEN, PAS TROP STRESSÉ, CELUI-LÀ !

IL A TOUJOURS ÉTÉ COMME ÇA !

IL SAIT QUE SON MONDE EST EN GUERRE ?

...

ALORS, C'EST CE BON VIEUX LARBOSA QUI VOUS ENVOIE ? QU'EST-CE QU'IL DEVIENT, CE PETIT BRIGAND ? TOUJOURS AUSSI COINCÉ ?

HEU... BEN... IL... JE...

MAIS NON, NOUS NE SOMMES PAS LES GARDES DU CORPS DES FABULEUX ! QUI VOUS A DIT ÇA ?

INCROYABLE !

MAIS SI, JE T'ASSURE ! IL A ÉTÉ ÉLU PAR LE PEUPLE !

NON, TU ME FAIS MARCHER !

...

LA HONTE !

TAP TAP

VOUS SAVEZ QUE LARBOSA ET MOI, ON EN A FAIT DES VERTES ET DES PAS MÛRES DANS NOTRE JEUNESSE ?!

PARFAITEMENT ! LES FABULEUX SONT LES HÉROS OFFICIELS D'ALYSIA ! LES LÉGENDAIRES NE FONT QUE NOUS ESCORTER.

24

HEU... CAPITAINE SHAMIRA ?

Z'AI CRU REMARQUER QUE VOUS NE PORTEZ PAS SHIMY DANS VOTRE CŒUR. Y A-T-IL UNE RAISON ZPÉZIALE ?
...
ELLE A FAIT QUELQUE CHOSE ?

IL NE S'AGIT PAS DE CE QU'ELLE A FAIT, MAIS DE CE QU'ELLE AURAIT DÛ FAIRE ! MAINTENANT, EXCUSEZ-MOI, MAIS J'AI D'AUTRES PRÉOCUPATIONS !

MAIS...

LAISSE TOMBER, RAZZIA ! CE N'EST PAS TOI QUI CHANGERAS CE QU'IL Y A ENTRE ELLE ET MOI !

RAZZIA !!

GRYF ?

DIS DONC ! TU CROIS QUE J'AI PAS VU TON PLAN DRAGUE ? JE TE FAIS REMARQUER QUE J'AI VU LE CAPITAINE SHAMIRA LE PREMIER, OK ?

CAPITAINE SHAMIRA ! ATTENDEZ-MOOOI !

PATHÉTIQUE !!

J'ALLAIS LE DIRE !

MES AMIS, JE VIENS D'AVOIR UNE IDÉE FOR-MI-DA-BLE ! EN L'HONNEUR DE LA VISITE DE NOS ALLIÉS D'ALYSIA, MAIS "SURTOUT" DU MAGE HUMAIN QUI NOUS A SAUVÉS DE LA PESTE MAGIQUE GRÂCE À SON REMÈDE, J'AI DÉCIDÉ D'ORGANISER UN BAL ICI MÊME ! IL AURA LIEU CE SOIR ET, BIEN SÛR, VOUS Y ÊTES TOUS CONVIÉS !

25

NON ! N'ENTREZ SURTOUT PAS ! CE SONT LES QUARTIERS DU MAGE ! IL SE REPOSE ET A DEMANDÉ À NE SURTOUT PAS ÊTRE DÉRANGÉ !!

HA ! HA ! DÉSOLÉ ! MOI ET MA CURIOSITÉ ! J'AI CRU QUE C'ÉTAIT LES VESTIAIRES DES SERVANTES.

HA ? HEU... CE N'EST... PAS GRAVE !

C'EST QUOI, CE PERVERS ?

UN PROBLÈME, GRYF ?

J'AI SENTI... QUELQUE CHOSE ! QUELQUE CHOSE DE FAMILIER... ET DE TERRIBLE !

BAH ! ENCORE MES SENS D'HOMME-BÊTE QUI S'AFFOLENT !

LA DERNIÈRE FOIS QUE TU AS EU CE GENRE D'INTUITION, JE NE T'AI PAS FAIT CONFIANCE ; ET J'AI EU TORT ! ... IL FAUDRA SURVEILLER ÇA CE SOIR ! ...

... ET J'AI HÂTE DE RENCONTRER CE MAGE QUI EST ARRIVÉ, JE TROUVE, UN PEU TROP AU BON MOMENT !

27

TOC TOC

ENTREZ !

TU N'ES PAS CONTRE UN PEU DE COMPAGNIE AVANT L'HEURE DU BAL ?

PAS DU TOUT ! ENTRE HÉROS, ON NE SE DÉRANGE PAS !

QU'EST-CE QUE TU FAISAIS ?

HO, J'ADMIRAIS LE PAYSAGE !
...

COMMENT UNE CIVILISATION QUASI PARFAITE COMME CELLE DES ELFES A-T-ELLE PU TOMBER DANS L'ENGRENAGE DE LA GUERRE ?

NE PRENDS PAS MAL CE QUE JE VAIS TE DIRE
...

... MAIS TOI ET TES COMPAGNONS ÊTES LES HÉROS D'UNE ÉPOQUE RÉVOLUE OÙ LES CHOSES ÉTAIENT PLUS SIMPLES. POURQUOI NE RENTREZ-VOUS PAS EN LAISSANT LES FABULEUX GÉRER LE PRÉSENT ?

PARCE QUE TOOPIE A DIT QUELQUE CHOSE DE VRAI À L'AUBERGE DES TROIS LICORNES !
...

NOUS N'AVONS PAS ÉTÉ LÀ QUAND ALYSIA AVAIT BESOIN DE NOUS. APRÈS L'ACCIDENT JOVÉNIA, NOUS AVONS FUI LÂCHEMENT NOS RESPONSABILITÉS. ÇA N'ARRIVERA PLUS JAMAIS !

...

BONNE RÉPONSE !

28

CE N'EST PAS TRÈS POLI, VOUS SAVEZ !

EH BIEN, VOUS NE DITES PLUS RIEN ?

...

JADINA, TU ES ÉBLOUISSANTE ! M'ACCORDES-TU CETTE DANSE ?

AVEC JOIE !

SHIMY, TU... TU...

OU... OUI ?

... TU AS VU COMME ELLE EST BELLE ?!

QU... QUOI ?

B.A.M

CAPITAINE SHAMIRA, ME FEREZ-VOUS L'HONNEUR DE M'ACCORDER CETTE DANSE ?

... HEU, D'ACCORD !

HUM ! IL SEMBLERAIT QUE TON PETIT AMI AIT UNE PRÉFÉRENCE POUR TA RIVALE !

CE N'EST PAS MON PETIT AMI ET CE N'EST PAS MA RIVALE !

AU FAIT —CRUNCH— ELLE EST PAS LÀ, —MIAM— LA PETITE CHIPIE ?

ELLE EST DÉJÀ COUCHÉE. IL EST TARD POUR UNE PETITE FILLE !

HEIN ? TU VEUX DIRE QUE Z'EST UNE VRAIE GAMINE, ET PAS UNE ADULTE TOUCHÉE PAR L'ACZIDENT ZOVÉNIA ?

33

EXACTEMENT ! MAIS, NE TE FIE PAS À SON JEUNE ÂGE ! C'EST UN VÉRITABLE PETIT GÉNIE QUI NOUS A SAUVÉ LA VIE PLUS D'UNE FOIS GRÂCE À SES INVENTIONS !

EN FAIT, QUELQU'UN QUI SE SERT DE SA TÊTE...

?!

... C'EST UN PEU CE QU'IL MANQUE À VOTRE GROUDE, NON ?

VOUS ALLEZ VOIR UN PEU COMMENT ZE ME ZERS DE LA MIENNE !

ILS ONT L'AIR DE BIEN S'AMUSER, CEUX-LÀ !

TOUT LE MONDE ICI S'AMUSE... SAUF TOI ! SURTOUT, DIS-LE SI ÇA T'ENNUIE DE DANSER AVEC MOI !

HA ! HA ! HA ! HA ! HA !

CE N'EST PAS ÇA ! À VRAI DIRE, JE GUETTE L'ARRIVÉE DU MAGE HUMAIN. GRYF A SENTI QUELQUE CHOSE DE "MAUVAIS" DEVANT LA PORTE DE SA CHAMBRE.

ET GRYF, QUE FAIT-IL JUSTEMENT ? IL SURVEILLE, TOUT COMME TOI ?

EH BIEN... JE CROIS QU'IL ESSAIE DE MARQUER DES POINTS DANS LA CATÉGORIE "MEILLEUR RÂTEAU" !!

LÉGENDAIRE GRYF, PUIS-JE SAVOIR POURQUOI VOUS SOURIEZ BÊTEMENT DEPUIS QUE NOUS AVONS COMMENCÉ À DANSER ?

HO, POUR RIEN ! POUR RIEN ! NIAF ! NIAF !

32

SNIF !
SNIF ?

MAIS... MAIS QUE FAITES-VOUS ?

SNIF !
SNIF ?
SNIF !

HAAA ! ... HEU, DÉSOLÉ, MAIS JE... JE VIENS DE ME RAPPELER QUE J'AI PROMIS CETTE DANSE À... QUELQU'UN D'AUTRE !

MAIS QU'EST-CE QUE JE SUIS VENUE FAIRE...

... ICIIIIIIIIIIII !!

VIENS PAR LÀ, TOI !

QU'EST-CE QU'IL T'ARRIVE ? TU T'ES FAIT JETER PAR TA CAVALIÈRE ET TU TE RABATS SUR MOI, C'EST ÇA ?

SHIMY ! POURQUOI NE PAS NOUS AVOIR DIT QUE LE CAPITAINE SHAMIRA ...

... ÉTAIT TA MÈRE !!

HEIN ?... MAIS... TU... MAIS COMMENT AS-TU...

L'ODEUR ! VOUS AVEZ LA MÊME !

SHIMY ! POURQUOI EST-CE QUE TA PROPRE MÈRE SEMBLE TE DÉTESTER À CE POINT ?

C'EST... UNE HISTOIRE DE FAMILLE. NE T'EN MÊLE PAS, GRYF !

HA ! VOUS VOILÀ ENFIN, MAGE ! MESDAMES ET MESSIEURS, ACCUEILLEZ COMME IL SE DOIT LE SAUVEUR DU PEUPLE ELFIQUE !

33

35

ARRÊTEZ, ROI KASH-KASH ! VOUS ME GÊNEZ ! ...

JE N'AI FAIT QUE METTRE MES TALENTS AU SERVICE D'UNE NOBLE CAUSE !

ÉLYSIO ?!

VOUS ? QU... QU'EST-CE QUE VOUS FAITES ICI ?

HO ! VOUS VOUS CONNAISSEZ ? QUELLE HEUREUSE SURPRISE !

CE N'EST PAS LE TERME QUE J'AURAIS CHOISI !

JE VOIS QUE TU AS FAIT DU CHEMIN DEPUIS LES PLAINES DE KLAPOOTY ; TE VOILÀ MAGE, À PRÉSENT ! APPAREMMENT, TU N'AS PLUS AUCUN PROBLÈME POUR CONTRÔLER TA MAGIE. AS-TU ÉTÉ FAIRE UN PETIT TOUR CHEZ LES ZAR-IKOS, PAR HASARD ?

APRÈS TOUT LE MAL QUE VOUS VOUS ÊTES DONNÉ POUR ME FAIRE SORTIR DE LEURS GALERIES, JE M'EN SERAIS VOULU DE GÂCHER VOTRE TRAVAIL EN Y RETOURNANT.

TU COMPRENDS QUELQUE CHOSE À CE QU'ILS RACONTENT, SHAKI ?

NON ! MAIS, CET ÉLYSIO... C'EST COMME SI JE L'AVAIS DÉJÀ RENCONTRÉ. BIZARRE !

34

36

Y A-T-IL UN ENNUI, MAGE ?

AUCUN, ROI KASH-KASH ! LES LÉGENDAIRES ET MOI AVONS UN PASSÉ EN COMMUN TRÈS MOUVEMENTÉ ! ...

... MAIS À PRÉSENT, TOUT EST RÉGLÉ !

DANS CE CAS, QUE LA FÊTE COMMENCE !

ATTENTION !!!

DANAËL !

JADINA ! SHIMY ! FAITES SORTIR LE ROI ET LES INVITÉS !

MAIS ?... C'EST QU'ELLE EST AGILE, LA BOUGRESSE !

35

40

L'ASSASSIN A ÉCHOUÉ, GÉNÉRAL RASGA !

COMMENT LE SAVEZ-VOUS ?

GRÂCE À LA DENT DE SAGYS QUE J'AI CONFIÉE À VOTRE SOLDAT ! J'AI JETÉ UN CHARME DE VISION SUR ELLE, ME PERMETTANT DE VOIR ET ENTENDRE COMME SI J'ÉTAIS SUR PLACE
...
MAIS LES DÉGÂTS SONT LIMITÉS, LES ELFES PENSENT QUE LE ROI KASH-KASH ÉTAIT LA CIBLE DE L'ASSASSIN.

ALORS QU'IL S'AGISSAIT DE CE MAGE HUMAIN DONT VOUS AVEZ SENTI L'ARRIVÉE IL Y A DIX LUNES ; ÇA, JE L'AI COMPRIS ! MAIS VOUS SAVIEZ QUE MON ESPION ALLAIT ÉCHOUER, N'EST-CE PAS ? VOUS VOULIEZ JUSTE AVOIR DES YEUX SUR PLACE POUR IDENTIFIER CES HUMAINS QUI ONT PORTÉ SECOURS AUX ELFES !!

J'AI PERDU UN SOLDAT POUR SATISFAIRE VOTRE CURIOSITÉ !

ET VOUS EN PERDREZ ENCORE D'AUTRES ! ET CE, JUSQU'À CE QUE VOUS ET MOI AYONS CE QUE NOUS VOULONS ! RAPPELEZ-VOUS VOS PROPRES PAROLES : "NOUS SOMMES EN GUERRE !"

GÉNÉRAL ! L'ÉQUIPE 25 VIENT DE METTRE À JOUR DES RUINES DANS DES GALERIES AU CŒUR DE LA MONTAGNE !

QUOI ?

AUCUN PIRANHI N'A JAMAIS VÉCU SI PROFONDÉMENT DANS CETTE ÎLE !

JE VOUS CROIS, GÉNÉRAL RASGA !
...

EN REVANCHE, C'EST UNE PLACE DE CHOIX
...
POUR LE "TRÉSOR DES DIEUX" !!!

39

41

TOC !
TOC !

JE PEUX ENTRER ?

MAMAN ?... JE NE M'ATTENDAIS PAS À TA VISITE !

ELLE N'A RIEN DE CORDIAL ! ...

TIENS ! J'AI QUELQUE CHOSE POUR TOI !

UNE GOURDE ? MAIS QU'EST-CE QUE C'EST ?

JE TE RAPPELLE QUE TU ES UNE ELFE, MÊME SI TU AS CHOISI ALYSIA COMME PATRIE ET QUE, PAR CONSÉQUENT, TU RESTES SENSIBLE AU NUAGE ROUGE DES PIRANHIS. IL S'AGIT DU REMÈDE QUE LE MAGE ÉLYSIO A MIS AU POINT POUR IMMUNISER LE PEUPLE ELFIQUE CONTRE SES EFFETS. BOIS-LE !

TU SAIS, VOUS NE DEVRIEZ PAS FAIRE TROP CONFIANCE À ÉLYSIO ! IL N'EST PAS... EXACTEMENT CE QU'IL SEMBLE ÊTRE... CROIS-MOI !

TU VEUX QUE JE TE DISE CE QUE JE TROUVE AMUSANT ? QU'UN HUMAIN COMME LUI AIT FAIT PLUS POUR NOTRE PEUPLE QU'UNE ELFE ÉLÉMENTAIRE QUE JE CONNAIS !

À QUI CROIS-TU QUE JE VAIS FAIRE LE PLUS CONFIANCE ?

BOM

J'EN AI ASSEZ ! COMBIEN DE TEMPS VAS-TU ME REPROCHER MON CHOIX DE VIE ? PAPA L'A ACCEPTÉ DEPUIS LONGTEMPS, LUI !!

40

LES MINEURS DE CETTE SECTION !!
ILS ONT ÉTÉ TRANSFORMÉS EN PIERRE !
QUE S'EST-IL PASSÉ ?

ILS ONT DÛ ESSAYER
D'OUVRIR LA PORTE
AVANT NOTRE ARRIVÉE.
LES IMBÉCILES !
IL ÉTAIT ÉVIDENT QUE
LE TRÉSOR DES DIEUX
SERAIT PROTÉGÉ PAR
AUTRE CHOSE QU'UN
SIMPLE NUAGE ROUGE !

PROTÉGÉ ? MAIS...
PAR QUOI ?

PAR CECI !

UN
PÉDRALAMAR
!!!

42

44

N'AYEZ CRAINTE, GÉNÉRAL RASGA ! MON BOUCLIER SE CHARGE DE PARER SON RAYON PÉTRIFIANT ...

HAAA !!

... AVANT DE LE RENVOYER VERS L'EXPÉDITEUR !!

JE CROIS QUE VOUS ET VOS HOMMES DEVRIEZ REBROUSSER CHEMIN. QUI SAIT LES DANGERS QUI SE CACHENT ENCORE DERRIÈRE CES PORTES ? JE ME CHARGERAI SEUL DE LA SUITE.

T... TRÈS BIEN !

TOUT LE PEUPLE PIRANHI VOUS FAIT CONFIANCE, SEIGNEUR SKALP-HELL ! NE LE DÉCEVEZ PAS !

RRRRRRRRRRRRRR

HO, VOUS NE SEREZ PAS DÉÇUS !

ENFIN !

43

HA, ENFIN !

MAINTENANT QUE NOUS ZOMMES LÀ, TU PEUX NOUS EXPLIQUER POURQUOI GRYF A TENU À NOUS RÉUNIR À L'EXTÉRIEUR DU PALAIS, DANAËL ?

HÉLAS, JE N'EN SAIS PAS PLUS QUE VOUS ! IL M'A JUSTE DIT QUE C'ÉTAIT TRÈS IMPORTANT !

EH BIEN, J'ESPÈRE POUR LUI QU'IL A UNE SACRÉE BONNE RAISON ! PARCE QUE J'ÉTAIS SUR LE POINT DE ME COUCHER !

COMME NOUS TOUS !!

J'AI ENCORE SOMMEIL !

LES FABULEUX ?! MAIS QU'EST-ZE QUE VOUS FAITES IZI, VOUS ?

LE MAGE ÉLYSIO NOUS A DEMANDÉ DE LE REJOINDRE ICI. MAIS MERCI POUR L'ACCUEIL !

GRYF ET ÉLYSIO ? MAIS C'EST QUOI, CETTE HISTOIRE ?

VOUS ÊTES BIEN SURPRIS ! NE SONT-ILS PAS VOS AMIS ?

BEN... DISONS QUE C'EST UN PEU COMPLIQUÉ POUR ÉLYSIO !...

COMPLIQUÉ DU GENRE : AMI OU ENNEMI ? J'AI RESSENTI QUELQUE CHOSE D'ÉTRANGE EN LE VOYANT AU BAL. COMME UNE IMPRESSION DE DÉJÀ-VU !

OUAIS ! IL FAIT CET EFFET À BEAUCOUP DE MONDE, CES TEMPS-CI !

ZZZZ...

C'EST PEU DIRE !

C'EST VRAI QUE NOUS NE SOMMES PAS CERTAINS DE POUVOIR LUI FAIRE CONFIANCE. ...
IL N'EST PAS CELUI QU'IL PARAÎT ÊTRE !

JE CROIS QU'IL EST PRÉFÉRABLE QUE CE SOIT MOI QUI APPORTE LES EXPLICATIONS !

GRYF ! ÉLYSIO ! VOUS POUVEZ NOUS DIRE CE QUE SIGNIFIE CETTE MISE EN SCÈNE ?

...

LE DÉBUT SERA ASSEZ SIMPLE
...

LÉGENDAIRES ! FABULEUX ! IL FAUT QUE VOUS M'AIDIEZ À VAINCRE UN SORCIER QUI EST ARRIVÉ DANS LE MONDE ELFIQUE RÉCEMMENT.

SORCIER QUI EST SÛREMENT À L'ORIGINE DE LA GUERRE ACTUELLE ENTRE LES ELFES ET LES PIRANHIS !

UN SORCIER ? MAIS QUEL SORCIER ?

MOI !

45

À SUIVRE...

PROCHAINEMENT

Pour nous comme pour nos amis, les explications d'Élysio ne sont pas très claires.

Le temps presse car pendant qu'ils essayent de décrypter ses paroles,
le drame se précise sur l'île Maudite !

Ne manquez surtout pas le quatrième épisode des aventures de
Danaël, Jadina, Gryf, Shimy et Razzia!
« LE RÉVEIL DU KRÉA-KAOS »